나그네의 삶

나그네의 삶

발 행 | 2024년 5월 22일
저 자 | 이경원
펴낸이 | 한건희
펴낸곳 | 주식회사 부크크
출판사등록 | 2014.07.15.(제2014-16호)
주 소 | 서울특별시 금천구 가산디지털1로 119 SK트윈타워 A동 305호
전 화 | 1670-8316
이메일 | info@bookk.co.kr

ISBN | 979-11-410-8584-1

나그네의 삶

이경원 지음

CONTENT

나의 책이 나오게 된 것은 하느님께 영광입니다. 모든 사람들한테 감사를 드립니다. 힐링 포엠에서 글 쓴 것을 모든 사람들한테 부족하나마 내놓으니 여러분이 미숙한 점이 있어도 재밌게 읽으시길 원합니다. 저의 구순 된 어머니와 돌아가신 아버지 영전에 이 시를 바칩니다. 그리고, 나를 사랑해주시는 모든 사람들과 나를 가르쳐주시는 선생님들, 내 글을 읽어주는 많은 독자분들한테 영광을 돌립니다.

낭만과 외로움과 자연에 관한 것이 많은 나의 시가 여러분들한테 부담없이 읽혀지기를 원합니다. 그리고, 이 글들을 정리해주신 선생님과 모든 사람들한테 감사함으로 이 책을 바칩니다.

- 이경원

<봄비>

무심코 내리는 봄비
첫사랑 경이의 희망 담아
내리는 비는 합창 소나타
마음 담아 흐르는 악보 비속에
꽃잎의 꽃내음

사랑하는 사람이고 싶다
지나가는 철새처럼 자유인이고 싶다
높은 곳으로 나는
독수리고 싶다
봄비처럼 누군가의 어깨를
건드리고 싶다

지나가는 계절에 개나리 날리면
그대와 거닐던 호숫가의 정원에
가는 굿바이 봄철 비 맞으며
무지개 본다네

<벚꽃의 눈물>

내가 피기까지 1년 기다렸죠
봉우리 나도 무심한 당신
비로소 꽃이 될 때 나를 보았죠

꽃이 예뻐 하얀 드레스 입은 공주
주렁주렁 맺혀서 속삭임이 알알이 화려한
파티의 귀족
나부낌

바람 불면 눈꽃이 휘날리면
지는 꽃잎 눈물이 벚꽃 잎사귀
비 오면 공주의 드레스와
파티 아쉬워 아쉬워

<내 마음 알아줘>

여전히 사랑하는 그대에게
꽃잎의 편지쓴다

힘든 나에게 아프지마요
세상사 폭풍우에 시달리는 안개

훈계한 입술에 지지 않은 장미처럼
품에 앉는 무릎에 따뜻한 모닥불이죠

이제 구순 나이 귀는 어두워도
배려의 입맞춤과 지혜는
엄마 가슴에 자전거처럼 달린다

<희망사항>

'나는 내 자신'이라는 이유만으로
사랑받기 충분하다

못 생기면 어때 내 개성의 묘약인걸
나는 삶을 지저귀는 사람이고
생을 사랑하는 사람이고 싶다
지나가는 나그네에게 커피 한 잔 주고 싶고
스승님에게 저녁 먹으면서 인생 논하고 싶다
부모님에게 운동할 때 모자와
스카프를 선물하고
외로우시면 노을처럼 다가가지요
지나가는 까치에게 집 만들어
매일 아침 깨지요

이경원 모 作

<꽃>

캄캄한 밤에 까치도 잠들고
바람 불면 갈대잎 흩날려
꽃 돌아오지 않는 것처럼
세월 돌아오지 않지요

시절 지나면 모든 것이 안개라도
나의 가슴에 꽃 하나 달으시요
물 줘서 당신의 이마에 선물하리라

꽃 되세요. 당신 얼굴에 지지않은
우리 만남있는 장미처럼
첫사랑의 꽃말은 언제나 당신있기에 행복이라요

<혼자 생각>

이제 쉰의 중간이라
삶을 다시금 일으킬 나이라
그래 질투하지 말아야지
자존심 꺾고 아래 계단에서 올라야지
불쌍한 엄마에게 전화 걸자 훈풍으로
선생님에게 성실함으로 하이파이브
내 주님에게 항상 순종을 잡는 메뚜기
이 밤도 홀로 석류나무에 물주자
사랑하는 그대와 좋은 하루를 위해
더 많은 나무에 물 주기 위해

<집에 가는 길>

나 이제 집에 가리
그동안 건드린 악마 흔적 없네
이젠 사랑하는 그 이 볼 수
있는 기쁨 다시 만난다는
친구와 뽀뽀할거야

많은 사람들이 아플 때
만날 선물 준비하는 밤
그래 삶은 아프더라도 혼자 아니야
집에 가서 멋진 삶의 무지개 잡자

<중노의 시절>

한숨 지나가는 바람에
병마와 싸우니
세상 자랑 헛되다

엄마의 아픈 다리 이젠
고독의 거품 으로 사라지는
첫눈 되기를 원해요

남는 것은 인생 거품 제하고
첫시절처럼 노트에 작은 손가락
잊지말자 중노의 배고픔 있으니

<기도>

주님, 제 영혼 주를 찾되
사막에 오아시스 기다립니다

제 마음 주님을 사모하는데
구원의 빛 아스라이 비취소서

나의 가는 길이 협착해도
주님 정하신 곳에 기름 부우소서

어려운 삶 끝나고
주여 나를 모른다 마시고
성소 안으로 붙잡으소서

<기도2>

세상사 뜻대로 안되지만
삶 속에 아픔이 약이 되는 것
뜻이죠

비 올 때 외로운 건
기다리는 사람이 있기에
행복하다 할 수 있죠

내일이 기다리는 것은 순종이 제사 보다 낫다고
그 말처럼 아버지 뜻 알게 하소서

이경원 作

<겨울나그네>

파도 넘실거리는 갯바위에
너를 불러본다

님이여 파도처럼 변하지마
이슬 처럼 내눈물 기도해줘

바위 위에 새긴 조각처럼
너를 위해 진심으로 그린다

세월 지나면 나의 그물에
동행이라는 이름으로 남아줘

<수녀님의 기도>

십자가 마주보며 움푹 패인
손끝에 주여 오늘도
당신 바라보며 묵주송
입에 바스라진다

고왔던 주름살 층층이
쌓여도 가냘픈 손 외로운 자
종탑을 울리기까지
봉사와 순결은 노을처럼 비춘다

이제 크리스마스 내 신랑
예수는 마차타고 부서진 이몸 배웅하나
병든 이 몸에게
임마누엘 축복 불빛 댕기소서

<지나가는 이슬>

스쳐가는 빗물 마디마디 진주되어
그대의 가사에 알알히 맺히네

아침 동틀 때 미소로 반기시오
말 없는 가슴 가운데 사랑 묻고
기도한 마음속 외로운 눈물 적시네

행복이란 것 별거 있나요
원하는 신발 되어 손잡고 가는 거
이슬이 내 곁 창문을 출렁일 때
사슴처럼 빨으리

<기분 좋은 날>

내일 휘파람과 떠나요
늦은 가을 비 마다 않고 핸들 잡아요.
노루는 바람 불면
눈인사로 배웅하네

그대 손잡고 가수원길 걸어요
산바람 콧등에 불면
먼지는 연기속에 구름 가는 길가에 꽃잎
엄마의 향수라

커피 한 잔의 입김 속에
그대 마음 담아요
지나가는 노을 져도
행복이란 아기 동백 미소 그려요

<이 생각 저 생각>

손에 손금 보니 굴곡이 난무해
세월 한숨 겪으며
지치고 마음 저린 그림자

형통을 붙잡고 싶어도
야속한 빗물의 먹물들
같이 있자던 숙이 수다떨다가 가네

아침에 햇살이 떠올라도
축복의 잔 번뇌 십자가에 맡기고
낚시하며 한 달란트 낚는 베드로처럼
다가올 내일 향해 그물 던지자

이경원 作

<낙엽 봐가면서>

슬픈 정이의 고독 처럼
너도 하나하나 떨어지는구나
단풍나무 마른 나뭇잎
무엇이 슬픈지 바싹거리는
나그네 술타는 사연이던가

슬픈 낙엽이라 말하지 마세요
그대 손바닥에 그림이 돼서
하나 얼룩 지문이 되리라
노을속에 빨간 잎새 밟지 마세요
차라리 타버려도 그대 향수
되고 싶으니까

<외로운 시인의 기도>

저녁 어스르히 촛불 밝히며
가난한 시인의 집에 노견과
기타치며 마지막 잎새를 노래해요

은행나무 잎 태우고
가을 향수 뿌리고
외로운 겨울나무 기다리는 파도 맞이해요

아무것도 겨울바다에 철새
말없이 가도 지나가는 세월
겨울 나그네 외로움 같이 노래해요

<가는 계절 오는 계절>

바람에 낙엽 뒹군다
석양을 받으면서 떨어지는
제몸 빨간 내 잎사귀 피우려
가지는 여름철 담배 머금고 있었나봐

이제 추운 먼지에 너를 반기며
시든 코스모스 노래 부르리
겨울은 잠바의 귓가에 나오고
오늘 밤 낙엽 밟으면서
지나가는 꽃잎에 키스한다

<가을 가는 소리>

단풍질 때 옆에 오카리나 불어요
낙엽 떨어지면 하나하나
달력 만들어요
휘파람 불면서 장미와 이별해요

밤 모아서 소포로 붙이지요
울엄마 고독 삼킬 때 돌아오라고
짧은생 가을별 보며 오는 무서리치는 밤
외로운 국화 꽃잎 잔다네

가을 아쉬움과 미련
강물에 서서 지나가는 바람에 계절을 씻자
지나가는 시간은 비처럼
가슴에 닿으리

<소쩍새>

한 송이 국화꽃 피우기 위해
봄부터 울었다는 소쩍새
너는 나의 삶이 익기까지
얼마나 기다리고 울었니

내 국화 지기 전 무서리 내릴 때
가을 지기 전 소쩍새야 씨앗 다오
씨앗 지기 전 널 보내는 가을비
인사 없이 노을 져도 슬퍼 않으리

<가을 들판>

코스모스 핀 언덕을 걷고
단풍 모아 모자 쓰고
해 지르며 들판에 낙서하자

커피 한 잔 축여가며 나그네
술잔은 비웠는가
무지개 넘어 언덕에 국화 지기전에
오빠 생각한다

옛날 놀던 고궁에 가을에는
어느덧 성숙해진 너의 입가에
노을가에 친구여 우린 가을
나이처럼 익어가는 것이 아닌가

이경원 作

<밤 기차 타고>

대전역 달지고 무궁화호 가고
창밖에 보름달
늙은 울 엄마 오라 손짓하네

기차 덜그덕 가면서
소싯적 방황하며 미워한 그에게
눈물 나며 다시 만나 회포 푼다면
나의 가슴에 받을 수 있는 가슴
그립다

기찻길 간이역 타는 노인
갑자기 일어설 뻔했네
잠 깬 나그네 다시 오신
부친인줄 알았네

<가을 산책>

운동장 돌아도 가을바람 서글서글
열기는 초롱한 아침 이슬
가을에는 구름과 길 떠나요

잊혀진 사이다 잔 가지고
뚜루와 엄마 만나러 가을바다로
배 한 척 타고 배이슬과 고래 낚아요

지나가는 노을속에 편지 만들고
갈매기 나는 길가에 코스모스 입에 붙여
별빛뜨는 언덕에
지는 국화 바라본다

<지나가는 가을>

지난 여름 땀방울 고되지 않기에
나의 노력도 헛기침 아니고
여름 장마 거세도
꽃방울 앞에 바람이라

익어가는 단풍가에 커피 한 잔
비추는 이삭이 정녕코 무심이라
가을 바람은 어디로 가는지
경이 치맛자락 흔든다

가을에는 그대와 낙엽 밟아요
지나가는 햇살이 질투할 만큼
노을 맞으면서 이 계절 휘파람을
하늘 끝 별빛이 나무의 그림자 지도록

<기분 좋은 날2>

운동장 돌아 얇은 땀방울
햇살 싱그런 낙엽 준비하고
아침 햇살 신선하고 여유있는
가을

계절은 인사도 없는 스폰지
가진 재물 없지만 여름빛
사랑하는 자의 남김없는 소낙비

행복이 스쳐가는 교차로에서
올 가을은 낙엽처럼 풍성히 왔다가
밟히면서 사라져가도 인생을
알아 가리라

<외로운 시절>

사랑해도 말 못 하는 내 가슴에
상처 내도 미워할 수 없는 그대
낙엽이 다 떨어지고 내 손에
물집 잡히고
눈 맞으며 울며 걸어도
원망치 않으리
동백처럼 말없이 피어나리
나의 입술에 지지않은 장미처럼

<내 사랑 너에게>

스쳐가는 봄비처럼
바람의 파도 되어가는 사랑

같이 걸었던 진달래
말 없어도 노래되어 반기네

햇빛 불어와도 난 화가 되어
그대 장미로 그려서 윤율에 붙이리

<중노의 외로운 십자가>

중노의 햇살 머리에 비출 때
모든 것이 외로워도
쓸쓸한 그림자 가슴에 애가 되어도
주님 십자가는 아프기만 합니다
왜 나만 겪는 면류관입니까
조용히 울어봐도 아픈 상처
중노의 십자가 무심코 지면서
아직도 기도해주는 자매 생각하며
웃어주며 달래주는 친구의
미소에 내일은 밝을거야
다짐하며 십자가 진다

이경원 作

<중노의 시절 기도>

늦은 밤 혼자 누워 기도한다
귀또리도 잠들고 매미도 잠들고
아픈 다리 유독 아프면
젊은 날의 애환이 별빛되어 간다
무엇 잡고자 그리 눈물 피바다되어
불러봐도 네 그림자 맺힐 때
허공속에 파도 없구나

외롭고 답답한 마음 노래 되어
못난이 시인이라도 과분한 잔
나를 반기는 그대 있어서
삶은 살아볼 희망품은 나그네
아침 햇살에 신실한 주 바라보며
아픔은 허공속에 던지고
새로운 공을 창공에 날린다

<여름 밤>

매미 우는 시골길에
석양 지면 음악회 막 오른다
참새가 울면 개구리
엉터리 박자에 비파를 한바탕 켠다

시냇가 개울 물소리 발 담그면
수박 잘려 스테이크 숯불 녹는다
서울서 온 정이 처음 먹는 누룽밥에 물반개 맛에
달 지는 줄 모른다

지나가는 노을처럼 이슬처럼
여름 밤 빈손이면 어떠리 그대
생각하며 녹여줄 생강차 한 잔으로
죽어가는 귀뚜라미 장사지낸다

<첫사랑>

매미 우는 그 날 널 보았지
초면의 녹차 식는 줄 모르고
눈동자 뜨거워서 행복했네

만남이 있어
사랑의 파도 애절할수록
외롭지 않는 안개라
흥얼거리는 기쁨의 노래라네

젊은 진이는 사랑에 더욱 목말라
길 떠나고 노을과 달 아는지
무심코 지면서 아픈 다리
절뚝이며 커피 한 잔 목축인다

이경원 作

<비 오는 날의 어머니 무지개>

비가 차분히 내려 앉는 휴일
늙은 엄마의 가래떡 그립다
아퍼도 손언저리 안아줄
가슴 있어 그립다

못난 자식 만가지 상념에
다리 아퍼도 업을 무릎 있어
흰머리 바람결 펄렁여도
자식 위해 통장 가슴에 인친다

넘어져도 비굴하지 않는 것
사랑하는 너 있어서 비 오는
우산으로 나 없어도 남으리
엄마 남긴 꽃잎 되어
무지개 그림자 되리

<장마비>

폭군의 강림은 들썩인다
아이구 비 세상 목욕 다해
차는 오리발되어 비와 땀
가락으로 흐르네

우산 쓰고 운명의 소나타 연주
가락맞춰 걸어 걸음걸음 님 계신곳
보고픈 사모곡 늙은엄마
장마비 아프지 말아 촛불 기도

이 또한 먼지처럼 흩어지리라
비는 아는지 약 없이 상처 남기고
파도의 물결처럼 얄미운 바람
미안하면 쉬어간든 어째 장마

<여름비>

비는 내리고 사념에 젖는다
중노의 나이 중반에 잔을 많이 들었다
살아 있는다는 것,
최고의 감사

빗방울 마디마디처럼
철 없이 튕겼던 젊은 시절
꿈과 만용은 왜 그리 솟구쳤는지
지나면 조각돌 무지개인걸

커피 한 잔 마시며 쓸쓸한 맛 느껴도
달지만 않은 인생
노을속에 지는 달처럼
여름비 추억 아는지 무심코 내리네

<계곡사 밤에>

까치도 잠들고
동자승 염불속에
바람 불어 종이 등잔 춤춘다

여승 머릿속
지나간 세상 고뇌
염주 담아 흐르는 눈물

지나간 시절 잊을려나
무엇이 그리워 그리 아둥바둥
엄마의 가슴에 속 끓이던
여름이 조용한 달빛에
소나기 되어 흐른다

<커피 한 잔>

향 그윽 원두 커피 냄새에
지나간 길 벗 바이올린 켠다
향은 콧길을 지나 가슴속으로

한잔의 커피에 소원담아
잊혀진 상처 연기속에 묻으리
커피 한잔 속에 인생이 속닦인다

<산책 중에>

같이 걸었던 동무는
안개 걷힌 새처럼 날아가네
산책하며 꽃은 이슬이던가

텃밭의 정원에 수줍은 개나리
행인의 길가 여인의 수줍은 인사
강아지 나그네 아쉬워
저녁 놀에 술 담그네

봄빛에 진 벚꽃은 소월의 노래되어
가지는 무심한 봄비 야소곡 남기네
산책하며 만상은 아쉬운 그림자

이경원 모 作

<벚꽃 필 때>

벗처럼 피어나 벚꽃인가
너 오려고 바람 거세었나
화려하게 핀 넌 전생 왕족이냐

한송이 모아 길 떠나는 오빠에게
벚꽃되어 나비되어 떠돌아도
피곤치 않는 길에 뿌리오리다

지나가는 친구에게 커피한잔 먹고
귀뚜라미 우는 시골에 전 붙이고
벚꽃 만개해 손잡고 가수원 걸으리

\<지는 벚꽃\>

봄처녀의 화려한 여왕 꽃망울
만개하여 넌 아라비아 밤처럼 화려했다
질투의 폭풍우에 사라진 잎사귀

더욱 사랑받기위해 웃어줬건만
줄 것 같이 머무는 정은 무심되
눈물 되다니 꽃잎 뒤 돌아보지 않아

화려할수록 무상이던가
사랑할수록 만족하며 지는가
다시 태어나도 봄의 여왕으로 피우리

<봄의 변덕>

제법 시원한 아침 햇살
바람은 옷깃처럼 펄렁인다네
산책하며 들익은 봄에 매화 피네

꽃샘추위 언덕에 바람불면
동백처럼 지지않는 꽃으로 남으리
봄은 인내의 기다리는 자 몫이니

이제 개구리 맘껏 우는 봄되면
엄마의 정원에 장미 핀다네
봄의 변덕은 복숭아처럼 녹아나네

<아침 햇살>

비 온 다음 해 무지개 뒤로하고
운동장돌며 참새 제집가네
철새는 고향길 따라 짐 싼다네

길 찾는 나그네 벚꽃의 순례는
개구리 일어나려 껍질 벗기고
곰이 동굴에 아침 햇살 인사한다

남에게 바칠 장미처럼
봄은 누군가 초목의 바람 되어
봄 햇살 언덕에 느낌표 되어 온다

<웃음>

그대 안녕이란 미소 속에
서로가 잘잤니 아침에
해는 말없이 뜬다 아름다운 하루

배려 하는 손바닥에
노력하는 깃발속에
벚꽃의 미소처럼 봄길은 열린다

내일을 위해 씨뿌리는 농부처럼
하나의 꽃을 가꾸기 위해
미소라는 품종에 물을 줘야한다

<지는 해 오는 해>

오늘도 햇살은 무심코 뜬다
강가에 종이배 지나간 꽃 돌아오지 않는
안개 이슬처럼

희망 품은 나그네 깃발
정상으로 한걸음 다가선 여호수아
고통 발자국 걸음 증거탑 말해요

늙었다고 말하지 말자
새로 도전한 시간 검은머리 난다
작은 노력에서 기적 열매 시작되니

마지막 잎새 - 이경원 作

<하루살이 꿈>

오직 기다렸어요 깨어날 그 날을
사랑이 다가와서 만져주세요
예쁜 옷으로 곁에 있길
하나 사과를 만들기 기다린 하늘

점심은 손잡고 비원 벤치 앉아서
지나가는 새처럼 연모하는
하루 지나 모래알 되어도
잊혀진 파도 거품은 흐르죠

<겨울새>

찬바람 있어서 겨울 새 나네
어디서 왔는지 자유자 철새
나그네 파도 물결 따라 너 있는곳 가리

철새여 나를 태워서 하늘 날자
저 하늘 끝에 꿈에 그리던 너를
내 눈물이 마르기까지 앉으리

겨울바람 부는 거리에서
철새 날면서 가는 세월 시계탑에
봄철에 꿈 박씨 아지랑이 튼다

<삶>

인생은 사랑싸움
후회 없는 모닥불 지피리
일평생 사랑하다 지친 나그네

삶은 행복 싸움
언제나 다가오는 이웃의 행운이
복 가지기 위해 간구한 순례자

파도 붙잡듯 한 순간이지만
지치지 않은 성실한 결말은
삶은 진실한 자의 열쇠의 잔이다

<야속한 인생>

삶이 지나간 대중가요인가
애증의 파도는 상처인 가시인가
지나고 나면 빈손의 메아리

울어본 사람처럼 아쉬워해도
차가운 손 한숨짓고 기도하고
겨울에 양지의 그늘에 불 밝혀요

못된 바람 지나고 평온이 오면
세상사 잊혀지는 것이 아니라
야속한 것 콧물 내리듯 아니에요

<가을비>

가을에는 길을 떠나요
바람부는 대로 추수할 길 올라

구름이 대화하자 하면
빗방울 농부 모자 살포시 닿으면

자전거 타고 낙엽 밟아요
라디오 틀며 기다리는 그대

오지않는 님 생각에
가을비는 서먹서먹 우체국 적시네

<가을 구름>

가을에는 구름 길 따라
코스모스 핀 언덕에 걷고 싶다

높은 하늘가에 메아리 들린다면
만나기로한 골목길 같이 있으면

가을에는 높은 가을 구름 사랑 햇살
지나가는 친구에게 커피한잔 마시고
낙엽 밟으며 달빛 사이에 그림자 없이
가을 구름 가는 여행을 노을 맞으면서

이경원 作

<지루함과 허전함>

아버지 기일에 일은 풀리지 않고 답답하다
어제는 아버지 기일이다
평소에 잘 대해주지 못하고
뇌출혈로 돌아가신 아빠다
나 기초생활수급자 되기를 원하고
장애연금 나오는 것 보기 원하셨습니다
안된다고 호통 치셨지만 걱정하셨는데
아버지 산소에 가서 됐다고 하니 해준 것 없이
미안하다 하시면서 수고했다 하며 잘 살으라 하신다

어제 엄마하고 통화했다
엄마는 우울한 나에게 용돈 주시겠다고 하셨어요

운동장을 하루 17바퀴씩 돈다
밥먹고 5바퀴씩 3번 간식 먹고 2바퀴 돈다
살은 쉽게 빠지기 어렵다

그래도 나에게는 주님 계시고
힘든 시절 지나면 웃을 날 있을 것이다
나의 지금은 지루함 아닌
새 날갯짓 돼서 돌아올테니

<가을 밤>

가을 밤 생을 생각 한다
밤중은 고요하다
무예 그리 욕심 많아서
거품 같은 삶에 지갑을 채우고 살았는지

유리 닦듯이 내 마음 청소하여
나의 모든 허물 방울에 날리리
누군가 기도하자면 외론 너 위해
몰약 바르고 축복함이 가을 잔이다

여름 메뚜기 철 지나서 울고
단풍을 준비하는 밤
달빛은 하루살이 운다네
익어가는 보리밭에 고향의 노래로
가을밤 고독도 철새처럼 날아가네

<어머니>

고드름 맺히도록 기도한 손
이젠 주름살 너머 눈가의 눈물
퍼부어도 아깝지 않은 용돈

자식 소풍에 밤새도록 쌓은 김밥
힘든 딸 위해 가느다란 손끝에
엄마의 통장주고 빈 손에 인생

가장 귀한 이름은 어머니
언제나 당신 있기에 향기 있어라
영원히 변치않을 천사표 울엄마

<이름 부를 때>

너의 이름은 꽃내음 난 장미
너의 커피 한 잔 지나가는 향수
내 곁 지날 때 오솔길 수확비

난 너의 옆에서 오카리나 부를게
옛날 향수에 별 세가며 물었다
너 사랑이 넘치는 은하수 하늘

너 이름이 스쳐갈 때
단비보다 향기로운 그리움으로
빗줄기 타고 하나하나 축복이라오

<세월>

지나가는 하늘 늘 새로운 것
세상 아무리 힘들고 외로워도
노래 부를 기타 있죠

내가 어려워도 꿈 있는 것
기대고 설만한 햇살이 뜬다는것
그것만으로 감사할 하늘 아니요

누구 가사 아닌 숨과 정열 가사로
세월이 타령 아닌 하루가 진심으로
노력탑 속에 달려가는 세월 마치요

<지나가는 철새처럼>

어느덧 논밭에 다가와
겨울 와 여름에 간 철새여
의자 앉아 무슨 말 지껄이냐

나도 혼자 갈 길 바쁜 나그네
눈오는 날 꽃잎 되어다오
어딜가든 피곤한 날갯짓

스쳐가는 바람결에 안부를 묻고
지나가는 햇살의 연을 띄워
철새는 세월 거품되어 내 곁 난다네

<벚꽃>

봄비 그치고
하얀 벚꽃 만개하여 두 손 모아
그대 가는 길 뿌리오리다

엄마하고 걷던 벚꽃 길
머리가 벚꽃되어 피어났네
얌상한 피부가 많이 닮았다

봄비 내리면 청춘도 간 내 삶
지금 이 순간 당신의 꽃이 되어
며칠이나마 가로등의 꽃잎 될터니

<고독의 겨울>

지나가는 바람에 너 거기 있는가
나는 야위어 가는데 침묵하는가
봄 빛이 빛춰도 그리움 하품되네

그대 소식 들으려 참새 불러봐도
원수의 계절 한없이 흐르네
봄 빛 오는 가로등에 촛불 밝히자

금강가에 연을 띄워 고독 끝 알리자
파도 소리 울리면 조용히 피리 불어라
고독이 아닌 기쁘게되는 내일 위해

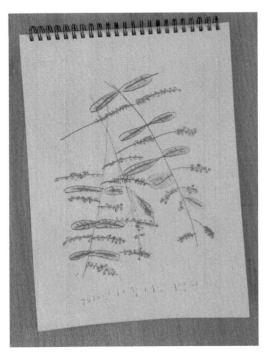

이경원 作

<그대 내게 소중한 사람>

그대가 소중한 것 단 하나라서
네가 행복한 너 값진 웃음 전염되서
너의 한 숨 같이 지고가는 짐

너의 기쁨 같이 걸어가는 쌍두마차
밉지 않음은 내 가슴속
너란 우산 있기에

항상 사랑하는 너 있어서
바람 부는 언덕에 서 있어도
외롭지 않아

<바람 부는 날에>

바람 부는 날에
봄 바람 부는 언덕에 서서
개나리 날리면
초등학생 교복을 그려보았지

여름 바람 불면 그대 거닌 산길
층계 올라가 땀방울 목욕해도
정상에서 분 바람 주름살 녹는다

가을 우체국 낙엽 떨어지면
하나하나 꽃받침의 쟁반에 새겨
바람 불면 그대 달력에 그리리다

칼바람 부는 동짓달에 손 얼리면
빈 나뭇가지 겨울 남기고 가지요
지나가는 시간의 의미 가져가지요

<무제>

겨울밤 조용히 모닥불 피우며
어린시절 친구 생각하리라
눈을 감으면 고향 가수원 밭에

사랑의 광주리 매고
옛날의 수학여행 추억은
땔감은 없어도 그을린 없어라

지나가는 시간속에 별빛을 향해 쏘고
내일은 희망이다 적으며
올해도 나의 날개 그리리라

<겨울 밤>

창가에 바람 불고 얼은손
따뜻한 방가에 달은 지네
울 엄마 그리운 가슴가에
쉰 목소리 너만큼 행복해
오십 넘은 늙은 딸 눈물가에
두견새 울면 묵주는 철렁이네
겨울밤 그 하늘가에 노을속에
구름은 한 해 말하고 간다네

<금요일 저녁>

일 끝나고 팩 하며
거친 일주일 피부 본다
일하며 아둥거린 지난 날
좋은시절 오면 금 같은 황금사과

손 물집 잡히고 눈 감겨도
쌍화탕 한 잔 녹아나는 저녁
적금 모아 하나 노트를 만들고
연인에게 바칠 시 한 권 만들자

<사랑은 허무인가봐>

마음 주고 돈 주고 다가올 것 같은 그대
웃어주며 함께하고 어깨동무한 그이는
가을 햇살의 일출처럼
들뜨게 하고

외로이 타지로 간 가을 방울
낙엽의 얼굴 하지마
묵주의 손짓으로 등대 비추기를

가을에는 낙엽 무성하지만
혼자 걷는 거 싫은 그대는
사랑이 허무해도
벤치에 같이 앉아요

<하늘>

아침마다 천 가지 얼굴
새롭게 참새 울고 배웅하고
철새오면 비내려 침묵의 신사

구름과 별이 선명한 옥타브의 사진
하늘가에 님 계신 곳에
꽃잎 날려 구름다리 연기에 닿으리

구월의 하늘은 화창해 서러워
우리 보면서 천국중보 하실 아빠
하늘은 오늘도 하염없이 가며
기억하리라

이경원 作

<기다리는 마음>

갈대잎이 속삭이면
바람결에 잎사귀 날려주세요
달빛에 포도송이 비치면
오솔길 같이 걸어가요

파도처럼 말 없이 출렁이는 그대
보고픈 사다리에 문자는 덩그러니 있고
손 잡은 거리 오색등이
기다리는 어깨에 빗방울 되어 나가네

<흰머리>

나에게 보일 듯한 흰머리들
세월의 찌듦을 홀로 씹는구나
비탈길에 말없이 친구처럼 있다

나의 머리머리 눈 되어도
청춘은 늙어간 옛 시절 아니라
다가오는 시간의 분수처럼 옵니다

<한숨>

이렇게 지내도 한 번뿐인
인생 뭐 아쉬워
동앗줄 맺힌 듯
눈물꽃 사그러지지 않는 밤
담뱃대 연기 속에 슬픔도
날라 가며 한숨 말 없이 가네

풀리지 않은 세상사 정 준다면
따뜻한 손길 덮는 장작 찾아가자
주름살 지는 나이에 이해한다면
고통을 고해한 나눠준 친구 있으면
한숨도 파도의 물길되리

<육월 하늘>

여름 하늘 가에 옥수수
밭의 피리를 듬썩인다
가신 님의 영령에
익어가는 나무 고개 떨군다

수풀 가득한 풀밭에
목동의 자장가 구름은 두둥실
운동하는 총각의 땀속에
촛불 사이로 지나가는 파도의 시간들

개똥이도 모르게
여름하늘 구름에
나팔꽃 피듯 간다네

<중노의 무지개>

목마 타고 놀던 내 추억은
이젠 아빠도 구름 무지개 됐네

맥 빠진 손 끝에 허리는
세월이 증인

일의 십자가 끝나는 저녁에
그대 술잔은 인생 걸었네

자식의 기도 속에 무지개 거는
중년 무지개라오

<그대 생각하며>

실망하고 미운 사람
실컷 욕하세요
싫증 나고 짜증 나고 싫은 그대
맘껏 화내세요

못난 그 사람에게 이거냐고 물으면
할 말 없는 죄인이
절뚝발이지만 그대 위해
촛불 사이로 기도 합니다

내가 미워도 그대 말없이 짝사랑해요
나를 낡은 그릇처럼 버리지 마세요

이해하는 가을에 한잔의 무르익은
커피를 초대하죠 못 익은 내가 아닌
성숙의 옷걸이를 걸친 나와 그대이기를

<5퍼센트 이해하기>

사람들은 다 자기를
이해하길 원한다
그러나 이기적인 목적으로

과거에 넌 나에게
이거 서운하게 해서
이해 못해하는 것이 있다

조금만 이해한다면
얼굴 붉히지 않고
싸우지 않을 텐대
이해하는 것도 사랑인데 아쉽다

남 입장에서 조금 이해하면
화목이 보일텐데
그래 자기만 내세우지 말고
조금씩 이해하는 것이 프로

이해하는 거 필요하다

이경원 作

<바램>

다시 태어나도 엄마 딸
사랑하는 너의 옆에서
같이 바라보는 해바라기

늘 너를 위해 한잔
커피 준비하는
소녀이고 싶구나

내가 힘들거나
웃을 때 손 잡아주는
꽃잎은 내 곁에서
밤에도 피어나다오

사랑하는 그대여
젊을적 고독 아픔
지나가는 노을속에 문안하라

노을 지면서 정열의
불길아래 나의 작은 해도
하나의 석양의 그림자이니

<잡념>

한가로이 대전역에서
부산으로 가는 차표끊어

창가 넘어
봄 철새와 눈 덮인
산과 둘이서만
애기하고 싶구나

부산 해운대 거닐면서 파도 봐가면서
청춘의 이끼는
바다새 먹지 않으렴

삶의 고뇌
파도여 소리쳐라
지나고 나면 물방울이 되게

파도야
봄에 뵈어요 나를
울리는 흙탕물 지나면 바다 보배의
노래 울리니

이경원 作